RE/MEMBER karada sagashi 6

[STORY] WELZARD [ART] KATSUTOSHI MURASE

- ♦ La bambina in rosso appare a scuola dopo le lezioni.

- ♦ La bambina in rosso appare di fronte a uno studente quando rimane da solo.

- ♦ Chi vede la bambina in rosso, non deve assolutamente voltarsi finché non esce dal cancello della scuola.

- ♦ Chi lo fa, viene diviso in otto pezzi e nascosto nell'edificio scolastico.

- ♦ Lo studente ucciso dalla bambina in rosso, il giorno dopo compare davanti a tutti e chiede di cercare il suo corpo.

- ♦ Non ci si può rifiutare di cercare il corpo.

- ♦ La bambina in rosso compare anche durante la ricerca.

- ♦ La ricerca non termina finché il corpo non viene trovato.

- ♦ Anche se durante la ricerca perdi la vita, non muori.

RE/MEMBER

karadasagashi

6 [STORY] **WELZARD**
[ART] **KATSUTOSHI MURASE**

PLANIMETRIA DEL LICEO OUMA

Ouma high school building map

MAPPA GENERALE

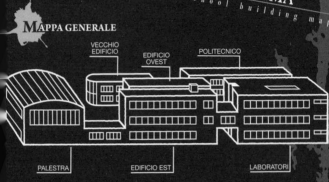

VECCHIO EDIFICIO
EDIFICIO OVEST
POLITECNICO

PALESTRA
EDIFICIO EST
LABORATORI

1st FLOOR

VECCHIO EDIFICIO

CALDAIA
SERRA
AULA DOCENTI
W.C.

POLITECNICO

AULA DOCENTI
LABORATORIO
W.C.

PALESTRA
PALCO

EDIFICIO OVEST
W.C.
ATRIO
INFERMERIA
AULA DOCENTI
RECEPTION
UFFICIO DEL PRESIDE
SALA RIUNIONI
SEGRETERIA
INGRESSO STUDENTI
W.C.

LABORATORI
W.C.
AULA DI SCIENZE
W.C.
AULA DOCENTI

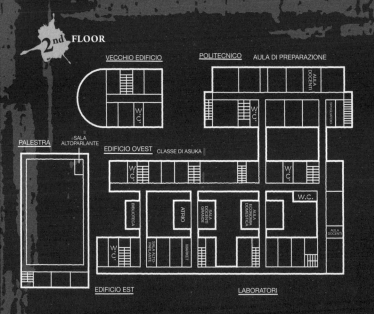

2nd FLOOR

VECCHIO EDIFICIO POLITECNICO AULA DI PREPARAZIONE

AULA DOCENTI

SPOGLIATOIO

W.C.

PALESTRA SALA ALTOPARLANTE

EDIFICIO OVEST CLASSE DI ASUKA

W.C. W.C.

W.C.

BIBLIOTECA ATRIO SALA DOCENTI GRANDE AULA ECON. DOMESTICA AULA DOCENTI

W.C. SALA ALTOPARLANTE MARKET

EDIFICIO EST LABORATORI

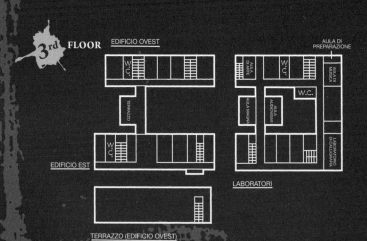

3rd FLOOR

EDIFICIO OVEST AULA DI PREPARAZIONE

W.C. AULA DI ARTE W.C. AULA DI MUSICA

W.C.

TERRAZZO AULA MAGNA AULA AUDIOVISIVI

W.C. LABORATORIO DI GALLINERIA

EDIFICIO EST

LABORATORI

TERRAZZO (EDIFICIO OVEST)

TAKAHIRO

ASUKA

SHOTA

RUMIKO

KENJI

RIE

PRESENTAZIONE DEI PERSONAGGI

CHARACTERS

HARUKA

PROFESSOR
YASHIRO

LA BAMBINA
IN ROSSO

MIKO ONOYAMA

NELLE PUNTATE PRECEDENTI DI RE/MEMBER

Per rispettare le regole, i ragazzi hanno capito che devono cercare il corpo di Haruka, diviso in otto pezzi, e riporlo dentro una bara. Inoltre, appare ormai chiaro che il tutto è strettamente connesso con il passato di Miko Onoyama, ossia la *bambina in rosso*. Mentre i misteri da chiarire sono ancora tanti, rimangono solo due pezzi da trovare...

I PEZZI TROVATI DEL CORPO DI HARUKA

6 (braccio dx, fianchi, busto dx, gamba sx, busto sx, braccio sx)

RIASSUNTO   S T O R Y

Un giorno, Haruka chiede ad Asuka e ad altri cinque compagni di classe di cercare il suo corpo. Visto che è impossibile scappare, decidono di partecipare tutti alla ricerca. Il nono giorno, Asuka e gli altri ripongono nella bara il braccio sinistro trovato nel vecchio edificio. Tuttavia, non riescono a trovare gli altri pezzi... Decimo giorno. Quando arriva la notte, comincia la ricerca del corpo, ma... Perché Kenji e la Bambina in Rosso appaiono insieme?!

RE/MEMBER
karada sagashi

CONTENTS 6

CAPITOLO 45 DECIMO GIORNO – 4

SBRAM

SCAPPA PRIMA CHE MI AMMAZZINO!

COME SE NON BASTASSE...

È STATA COLPA MIA...

SCUSAMI... TAKAHIRO!

DASH

VAI!

DI! QUA!

ANF...

ASUKA! ABBIAMO TROVATO IL CORPO!

ANF...

VISTO CHE KENJI È ANDATO AL SECONDO PIANO, ALLORA FORSE RUMIKO E GLI ALTRI...

ANF...

ANF...

ANF...

FORSE SONO NELL'A-TRIO...

RA-GAZ-ZI?

NON C'È... NES-SUNO?

ZUUUN

PER-
CHÉ...

RUMIKO...
SHOTA!

RATTLE

NON HANNO ASPETTATO ALL'EDIFICIO OVEST CHE KENJI SI MUOVESSE?

ANF...

ANF...

TUTUM

SONO RIMASTA SOLO IO...

E RIE? FORSE ANCHE LEI È DA QUALCHE PARTE ALL'INGRESSO DEGLI STUDENTI ED È...

... MA OVVIAMENTE, SE SI È DA SOLI, È DURA VEDERE I CADAVERI DEI PROPRI AMICI...

ANF...

TUTUM

QUELLA VOLTA HO RESISTITO PERCHÉ ERO CON TAKAHIRO...

GNEECK

DEVO CERCARE ALL'INGRESSO DEGLI STUDENTI... COSÌ L'AZIONE DI TAKAHIRO NON SARÀ INUTILE...

SE SONO RIMASTA SOLO IO...

COSA DEVO FARE?! CALMATI... CALMATI...

AH...

ASUKA?

ME-NO MA-LE...

ANCHE TU... TI SEI SAL-VATA!

TAKAHI-RO?!

QUI... COSA È SUC-CES-SO?

CREDO CHE KENJI LO AB-BIA...

SEI TU! LO SAPE-VO...

RIE?!

IL PRIMO ANNUNCIO DICEVA CHE ERA APPARSA AL PRIMO PIANO DELL'EDIFICIO EST, DOVE ERAVATE VOI, GIUSTO?

SUBITO DOPO L'ANNUNCIO, KENJI È VENUTO NELL'EDIFICIO OVEST E HA SALITO LE SCALE.

SÌ... COSÌ, SIAMO SCAPPATI AL SECONDO PIANO...

... E NON ABBIAMO POTUTO CONTROLLARE I MOVIMENTI DI KENJI.

TAP TAP TAP TAP

?!

TAP

BENE! SBRIGHIAMOCI A CERCARE!

QUANDO L'ABBIAMO VISTO, SIAMO SUBITO ANDATI ALL'INGRESSO DEGLI STUDENTI, MA...

È VERO... PROPRIO PER QUESTO...

GIÀ...

CI SIAMO SALVATE PERCHÉ GLI ALTRI CI HANNO AIUTATO...

LA SVEGLIA DI TAKAHIRO!

STAVA SUONANDO?

... STANOTTE NON DOBBIAMO PERDERE TEMPO!

IO PENSO ALLA SCARPIERA! RIE, TU OCCUPATI DELLO SGABUZZINO PER LE PULIZIE!

AH... SÌ!

UH...

RIE HA PAURA. NON POTEVO FARLA CERCARE QUI, DOVE CI SONO DUE CADAVERI.

SCUSA, ASUKA... GRAZIE.

RA-
GAZZI...
SCUSA-
TEMI.

ANF
...

...

AH...

NON È
NEMME-
NO QUI...

EH?!

ASUKA... L'HO TROVATO! L'HO TROVATO!

SE FOSSE NELLA SALA DELL'ALTOPARLANTE...

EVVIVA! COSÌ CE NE MANCA SOLO UNO!

LA GAMBA DESTRA!

ASUKA...

COSA C'È?

?

◆ CHI VEDE LA BAMBINA IN ROSSO,
NON DEVE ASSOLUTAMENTE
VOLTARSI FINCHÉ NON ESCE
DAL CANCELLO DELLA SCUOLA.

MA CHE È SUCCES- SO?

RUMIKO E SHOTA?!

ASUKA, TI SBAGLI... SONO 10.

ZAN

TA... TA- KAHI- RO!

STAI BENE...

CAPITOLO 46 DECIMO GIORNO - 5

ZUN

ANF...

ANF...

SÌ...

ANCHE SE MI GIRA LA TESTA...

ASUKA! HO MESSO A POSTO LA GAMBA DESTRA!

RIE, VIENI... TAKAHIRO È...

TAKAHIRO!

...PIUTTOSTO PROFONDA...

È UNA FERITA...

TAKAHIRO!

UGH...

TREMBLE

CE LA FACCIO... A CAMMINARE.

NON È UNA FERITA MOLTO PROFONDA... NON PREOCCUPATEVI, VENGO ANCHE IO.

NO!

TAKAHIRO... POSSIAMO ANDARCI DA SOLE ALLA SALA DELL'ALTOPARLANTE.

IO NON FACCIO ALTRO CHE ESSERE SALVATA DA TE!

SE VUOI VENIRE CON NOI, AGGRAPPATI A ME!

AH... È STATO GRAZIE A KENJI.

MA... COME HAI FATTO A SCAPPARE CONCIATO COSÌ?

IN CHE SENSO?

POSSO... RACCONTARVI I DETTAGLI DOMANI? ADESSO PENSIAMO ALLA SALA DELL'ALTOPARLANTE.

È SCAPPATO PORTANDOSI DIETRO LA BAMBINA IN ROSSO...

TAKAHIRO... È AL LIMITE.

SÌ... HAI RAGIONE.

OPS!

LA BAMBINA IN ROSSO...

CHE TEMPISMO! CI STAVA ASPETTANDO!

KRRKRR

!

TOGLITI DA LÌ...

ABBIAMO... UNA COSA DA SBRIGARE NELLA SALA DELL'ALTOPARLANTE...

AAAH...

MI FA TORNARE IN MENTE QUANDO ERAVAMO PICCOLI...

... È APPARSA AL SECONDO PIANO DELL'EDIFICIO EST.

SI PREGA DI FARE ATTENZIONE.

IN REALTÀ, DOVREMMO AVERE PAURA... MA CAPISCO COSA VUOLE DIRE.

SÌ...

... NON HO PAURA.

SE SIAMO NOI TRE...

... OLTRE AL CORPO, FORSE C'È UN SEGRETO MOLTO IMPORTANTE.

NELLA SALA DELL'ALTOPARLANTE, DA DOVE RICHIAMAVANO LA BAMBINA IN ROSSO ANCHE AI TEMPI DEL PROFESSOR YASHIRO...

ESSERE UCCISI DOPO AVER CERCATO INSIEME E AVER RAGGIUNTO UN OBIETTIVO...

... È MEGLIO CHE ESSERE AMMAZZATI SCAPPANDO DA UNA PARTE ALL'ALTRA.

KYAH!
AH!
AH!

TAP

TAP

TAP

TAP

STA PUNTANDO TAKAHIRO!

QUALUNQUE COSA ACCADA, TAKAHIRO NON RESISTERÀ NELLE CONDIZIONI IN CUI SI TROVA!

FINORA CI HA SEMPRE INSEGUITO, QUINDI NON NE HO IDEA!

LA BAMBINA IN ROSSO CI STA VENENDO INCONTRO... COSA FARÀ?!

RIE!

AH!

COSA CAVOLO FAI?!

ASUKA, STAI BENE?!

UN VESTITO ROSSO VORREI...

NON È SUCCESSO NIENTE DI DIVERSO DAL SOLITO... ALLORA...

STO... STO BENE.

ANDIAMO ALLA SALA DELL'ALTOPARLANTE.

ANCHE I VESTITI BIANCHI DI ROSSO TINGEREI...

SBRIGA-
TEVI... A
ENTRA-
RE...

DONK

TA-
KA-
HI-
RO!

SÌ!

RIE!

IL
CORPO
SMEM-
BREREI E
DI ROSSO
TINGEREI!

!

NO...

SBAM

IH!

C'È UN MURO INVISI-BILE!

SBAM

TA-KA-HI-RO!

QUIN-DI... NON POS-SIAMO ENTRA-RE?!

LA SCHIENA DI SPORCIZIA TUTTA PIENA...

ANF...

UH...

NON POSSO ASSISTERE ALLA MORTE DI TAKAHIRO...

RATTLE

STACCATI...

NON SCHERZARE...

STAND

...DA ASUKA...

♦ CHI SI VOLTA INDIETRO, VIENE
DIVISO IN OTTO PEZZI E NASCOSTO
NELL'EDIFICIO SCOLASTICO.

CAPITOLO 47 DECIMO GIORNO --- 6

CAPITOLO 47 DECIMO GIORNO - 6

SLASH

AN-
CHE-
SE...

UGH...

SHUN

OOOH...

SI, È... AR- RAB- BIATA?

...NON CI SIAMO VOLTA- TI...

GWAH...

LA BAMBINA IN ROSSO È CAMBIATA ALL'IMPROVVI-SO. FINORA, CI AVEVA SEMPRE UCCISO SOLO DOPO AVER FINITO LA CAN-ZONE, MENTRE ERA AGGRAP-PATA...

IL CELLU-LARE È DENTRO L'UNI-FORME...

... E QUANDO CI VOLTAVA-MO DOPO AVERLA VISTA UNA VOLTA. INVECE, IERI...

... CI HA AG-GREDITI IN QUEL MODO, SENZA FARE DISTIN-ZIONI...

SE FOSSI RIUSCITA A SCOPRIR-LO LA PRI-MA VOLTA CHE CI SONO AN-DATA...

NON AVEVO NEMMENO PENSATO ALLA POSSIBILITÀ CHE NON SI POTESSE CER-CARE NELLA SALA DELL'AL-TOPARLANTE...

E... EHI.

STAI FACENDO COLAZIONE?

BUON- GIORNO, TAKAHI- RO.

EH?! MA SE HAI RE- SISTITO FINO ALLA FINE!

PERDO- NAMI... SONO MORTO PRIMA...

SÌ...

EH? IN CHE SEN- SO?

A PRO- POSITO, TAKAHIRO HA DETTO CHE KENJI LO HA AIU- TATO...

SU, SU! CE NE MANCA UNO...

A SCUOLA PARLERE- MO CON SHOTA DEL PO- STO IN CUI ANDARE A CERCA- RE.

WHOOON

?!

OOH...

OH...

SMETTILA DI ENTRARE...

... DENTRO DI ME...

KENJI HA...

KE... KENJI?!

LA SCHIENA DI SPORCIZIA TUTTA PIENA...

DASH

EH?! PER- CHÉ?

EEH?

MA CHE STRON- ZO, KENJI!

KYAH!

MA CHE NE SO!

CHE VUOI?

A ME E A SHOTA CI HA AMMAZ- ZATI SUBITO E A TAKAHI- RO NO?!

PERCHÉ?! MI SEMBRA DI AVER PERSO!

...

AL POSTO DEL GATTO CHE TROVA- VAMO QUI...

CHE SUCCE- DE, RIE? HAI FATTO UNA VOCE CARI- NA...

GUARDATE CHE AMORE!

ANCHE QUESTO È UN CAMBIAMENTO DOVUTO ALLA RICERCA...

NON HA IL COLLARE... QUINDI NON È DI NESSUNO?

UGH... UN CANE!

AH!

ZUN

EHI, RIE! NON FARE COSÌ! E SE POI CI SEGUISSE?!

INSOMMA, RUMIKO, È DA PRIMA CHE FAI CASINO!

È SOLO UN CUCCIOLO...

MA È UN CANE! MORDE!

RUMIKO! NON URLARE!

INOLTRE...

SE FINISSE LA RICERCA DEL CORPO, FORSE POTREMMO TORNARE A VIVERE COSÌ...

EH? COME LO HAI CAPITO?

A QUANTO PARE "IERI" SIETE RIUSCITI A TROVARE UN PEZZO...

SHOTA, BUONGIORNO.

AAH... BUONGIORNO, SIETE QUI.

GUARDATE... COME SONO CAMBIATE LE COSE.

AH! AH!

VERO?

EH! EH!

PARLANO TUTTI CON HARUKA, NON È NORMA-LE...

INVECE A NOI... NON CI GUARDANO NEMMENO, COME SE NON CI FOSSIMO...

A ES-SERE SINCERI, MI SENTO A DISA-GIO...

MA CHE... GUAR-DATE COME SE LA TIRA!

NO, RUMIKO! SUCCE-DEREB-BE DI NUOVO UN CA-SINO!

NON STO FACENDO NULLA...

ANCHE TU, TA-KAHIRO, NON LITI-GARE!

ANCORA UNO...

EH! EH!

MA... TU...

!

RIE?

AH!

WAH!

KENJI?!

MA... SEMBRA CHE STIA BENE...

?

STAI BENE, KENJI?

RICORDATEVI CHE MI HA SALVATO.

SÌ...

KENJI.

CIOÈ?! MA SE CI HAI AMMAZZATO COME AL SOLITO!

CALMATI, RUMIKO!

ANCHE A TE, NO?!

PARLA.

SEI VENUTO PERCHÉ DEVI DIR-CI QUAL-COSA, NO?

LUI...

È TAIZO YAMAOKA A ENTRARE DENTRO DI TE, GIU-STO?

NOI ABBIAMO FATTO LE NOSTRE RICERCHE, KENJI...

◆ LA BAMBINA IN ROSSO COMPARE
ANCHE DURANTE LA RICERCA.

CO-SA SEI VENUTO A DIRCI, KENJI?

CAPITOLO 48 UNDICESIMO GIORNO — 1

SÌ...

EH?! MA CHE VUOI? TOCCA LE MANI DI ASUKA, NON LE MIE!

CHE?

NON QUI...

GRAB

CAL-MATI E STAI ZITTA.

"SÌ" COSA? SE HAI QUALCO-SA DA DIRE...

CAM-
BIAMO
POSTO.

PRIMA HAI
DETTO CHE
TAIZO YAMA-
OKA ENTRA
DENTRO DI
TE, GIU-
STO?

SÌ...

SE È
TROPPO
DIFFICILE
PARLARNE,
TI FAREMO
NOI DELLE
DOMANDE.

ESATTO! PARLA CHIARO!

HAI SALVATO QUEL CRETINO!

E FINISCILA!

TU NE SEI CONSAPEVOLE?

CI HAI UCCISI UN SACCO DI VOLTE.

!

ANCHE SE VENGO POSSEDUTO DA TAIZO YAMAOKA...

... LA MIA COSCIENZA NON VIENE ANNULLATA.

SOLO CHE... IL MIO CORPO NON RISPONDE AI MIEI COMANDI...

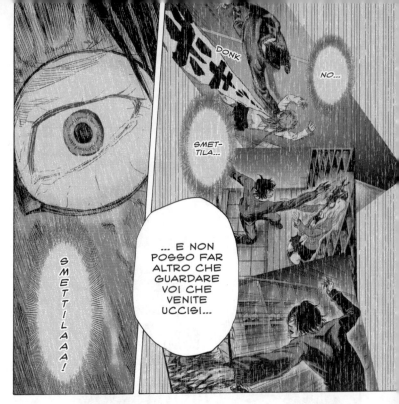

DONK

NO...

SMETTILA...

... E NON POSSO FAR ALTRO CHE GUARDARE VOI CHE VENITE UCCISI...

SMETTILAAA!

PERÒ... "IERI" MI HAI RISPARMIATO.

... È STATO GRAZIE AD ASUKA.

QUELLO...

EH?

QUANDO... ERI CIRCONDATA DA ME E DALLA BAMBINA IN ROSSO...

... MI HAI CHIAMATO "TAI-CHAN", RICORDI? DA QUEL MOMENTO...

... MI SONO ACCORTO CHE COMINCIAVO A CAMBIARE POCO A POCO.

...

DOVE HAI SAPUTO DI MIKO ONOYAMA?

KENJI...

ALLORA, FORSE...

... SAI PERCHÉ MIKO ONOYAMA È STATA UCCISA?

QUANDO VENGO POSSEDUTO, SONO ATTRAVERSATO...

... DALLA COSCIENZA O DAI RICORDI DI TAIZO YAMAOKA, CREDO.

... NON CAPISCO I DETTAGLI...

I RICORDI CHE MI ATTRAVERSANO SONO FRAMMENTARI, QUINDI...

PERCHÉ NON PARLI PIÙ?! COSA SEI VENUTO A FARE?

I DETTAGLI NO, MA FINO A UN CERTO PUNTO SÌ?

IN QUEI RICORDI...

!

... IO STO PER ESSERE STRANGOLATO...

E VICINO A ME C'È UNA BAMBINA A TERRA.

IN QUEL MOMENTO IO NON SONO ANCORA MORTO...

MIKO... ONOYAMA.

SÌ...

... SI AVVICINA ALLA BAMBINA STESA A TERRA...

L'UOMO CHE MI STA STRANGOLANDO NON SE NE ACCORGE E...

NON LO SAPEVAMO.

RIE, STAI BENE?

UUH...

KENJI CONTINUÒ.

YUZO YAMAOKA AVEVA SEMPRE AVUTO CERTI INTERESSI, MA...

... CI FU QUELL'INCIDENTE.

IN PIÙ, NON RIUSCIVA A CONTROLLARE LE SUE PULSIONI REPRESSE, COSÌ...

TUTTAVIA, VOLEVA CHE IL FRATELLO HANDICAPPATO TAIZO SPARISSE, PERCHÉ LO RITENEVA UNA SECCATURA...

... VISTO CHE BADAVA ALLE APPARENZE, SI SPOSÒ CON LA NONNA TRAMITE UN MATRIMONIO COMBINATO.

DOPO AVER VIOLENTATO MIKO, OCCULTÒ IL FATTO...

... FACENDOLA A PEZZI CON UN'ASCIA E NASCONDENDOLA.

ANCHE SE FOSSE STATO SCOPERTO, POTEVA DARE LA COLPA A TAIZO...

PENSAVA DI RIUSCIRE A FAR PASSARE IL TUTTO COME UN TERRIBILE INCIDENTE.

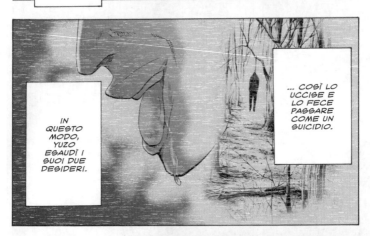

IN QUESTO MODO, YUZO ESAUDÌ I SUOI DUE DESIDERI.

... COSÌ LO UCCISE E LO FECE PASSARE COME UN SUICIDIO.

... IL CONTENUTO DAVA ANCORA DI PIÙ LA NAUSEA...

LA STORIA ERA PIÙ O MENO QUELLA CHE AVEVANO IPOTIZZATO SHOTA E IL PROF YASHIRO, MA...

... AVREI FINITO PER ESSERE D'ACCORDO.

TANTO CHE, ANCHE SE CI AVESSERO DETTO CHE LA MALEDIZIONE DI MIKO ERA DOVUTA A QUESTO...

E QUINDI?!

...

... PERCHÉ VOLEVA PROTEGGERE MIKO.

FORSE SI È IMPOSSESSATO DI TE, CHE SEI SUO CONSANGUINEO...

CI HANNO DETTO CHE TAIZO YAMAOKA ERA UNA PERSONA GENTILE...

COSA VUOI FARE, KENJI?

NON SO COME FARE PER CONTROLLARLO... POSSO DIRVI SOLO CHE CE LA METTERÒ TUTTA.

SAPETE QUANTE VOLTE MI HA UCCISA?

PER VOSTRA INFORMAZIONE, IO COMUNQUE NON MI FIDO DI LUI!

ESATTO... ANCHE SE È CONNESSO A QUESTA STORIA, NON SIGNIFICA CHE STANOTTE NON CI ATTACCHERÀ.

LA POSIZIONE DELL'ULTIMO PEZZO MANCANTE, LA TESTA DI HARUKA!

EHI... VA BENE PARLARE DI QUELL'INCIDENTE E DELLA STORIA DI KENJI, MA...

... NON CREDETE CHE ABBIAMO UNA COSA PIÙ IMPORTANTE A CUI PENSARE?

IL CLUB HOUSE CHE STA FUORI?

QUINDI LÌ NON POSSIAMO CERCARE.

ANCHE NELLA SALA DELL'ALTOPARLANTE C'È UN MURO INVISIBILE, GIUSTO?

...

NON È CERTO IL MOMENTO DI DISCUTERNE!

INSOMMA, DOVREMMO RISCENDERE DAL TERRAZZO...

SONO ANCORA TRAUMATIZZATO DA QUANDO SONO CADUTO...

È SOLO UNA POSSIBILITÀ, MA...

COSA? È QUALCOSA CHE NON SAPPIAMO?

IO... MI SAREI ACCORTO DI UNA COSA...

POSSO PARLARE?

... RIGUARDA L'UBICAZIONE DELLA TESTA DI HARUKA.

NON È CHE SI TROVA...

AH...

!

COSA SIGNI- FICA?

COSA? ASUKA, TU...

?!

ERA DURA!

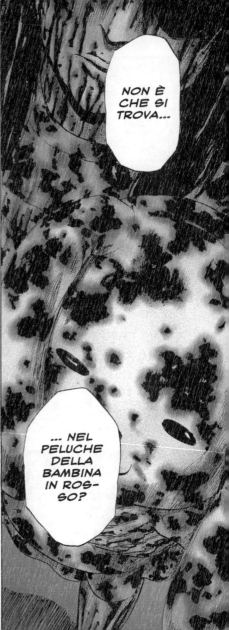

... NEL PELUCHE DELLA BAMBINA IN ROS- SO?

... ERA DURA, COME SE CI FOSSE QUALCOSA DENTRO!

QUANDO SI È SCONTRATA CON ME E ABBIAMO URTATO DA QUALCHE PARTE, LA TESTA DI QUEL PELUCHE...

A-SPETTATE!

WAH! SCEMO!

IO ERO SICURO CHE FOSSE UNA SPECIE DI ARMA...

ANCHE IO LA PENSO COSÌ.

MA NELLA MAIL NON C'ERA SCRITTO NEMMENO DI TAIZO, NO? NON È STRANO!

ANCHE NELLA MAIL DEL PRIMO GIORNO C'ERA SCRITTO COSÌ... DENTRO IL PELUCHE SAREBBE STRANO!

IL CORPO DOVREBBE ESSERE NASCOSTO NELL'EDIFICIO SCOLASTICO, NO?!

... E NEMMENO DEL FATTO CHE NON PUOI TOGLIERE IL PELUCHE ALLA BAMBINA IN ROSSO.

NON C'ERA SCRITTO DELLA SALA DELL'ALTOPARLANTE...

... ALLA BAMBINA IN ROSSO? COSA SIGNIFICA?

NON PUOI TOGLIERE IL PELUCHE...

E POI?!

AL-LORA LA BAMBINA IN ROSSO HA URLATO CON UNA VOCE CHE NON AVEVAMO MAI SENTITO PRIMA.

IO?

NON... NON ME LO RICORDO.

"IERI NOTTE" TAKAHIRO LE HA PRESO PER CASO IL PELUCHE.

COME QUANDO KENJI VIENE POSSEDUTO DA TAIZO...

CI HA UCCISI TUTTI.

LA BAMBINA IN ROSSO CHE NON SEGUE LE REGOLE?! È UNO SCHERZO? IO...

... ANCORA MI RICORDO DI QUANDO LA PRIMA NOTTE MI HA STRAPPATO IL BRACCIO LASCIANDOMI UNA SPIRALE...

ANCHE SE NON CI ERAVAMO VOLTATI E NON AVEVA FINITO DI CANTARE.

SE DAVVERO DENTRO QUEL PELUCHE CI FOSSE LA TESTA DI HARUKA...

◆ LA RICERCA NON TERMINA FINCHÉ
IL CORPO NON VIENE TROVATO.

... QUANDO FINISCE DI CANTARE LA CANZONE E CI STRITOLA IL CORPO...

LA BAMBINA IN ROSSO TIRA FUORI UNA FORZA ASSURDA...

CAPITOLO 49 UNDICESIMO GIORNO – 2

... UCCIDENDOLO COME UNA BAMBINA CHE FA A PEZZI UN INSETTO.

... E QUANDO APPARE A CHI SI È VOLTATO DOPO AVERLA VISTA...

SE DAVVERO CI FOSSE LA TESTA DI HARUKA DENTRO QUEL PELUCHE...

PER QUESTO SONO RIUSCITI A SCAPPARE MOLTE VOLTE.

AL DI FUORI DI QUESTE REGOLE, HA UNA FORZA TALE CHE UN MASCHIO MEDIO RIESCE A STRAPPARSELA DI DOSSO.

... LEI NON AVREB-BE PIÙ REGOLE E VER-REBBE A UCCIDER-CI TUTTI SENZA FARE DI-STINZIO-NI...

... CON UNA FORZA TALE DA FARCI A PEZZI, COME SE TAGLIASSE UN FOGLIO DI CARTA CON LE FORBICI...

CAPITOLO 49 UNDICESIMO GIORNO - 2

MA È L'UNICA COSA CHE POS-SIAMO FARE!

È... IMPOS-SIBILE.

L'UNICO PIANO CHE CI DÀ UNA POSSIBILITÀ È...

... CHE TUTTI NOI STIAMO IN PIEDI DI FRONTE ALLA BARA, DANDO LE SPALLE ALL'INGRESSO...

... IN ATTESA DELLA BAMBINA IN ROSSO. IL RESTO DOVREBBE ESSERE SEMPLICE.

OPPURE CI AMMAZZERÀ TUTTI?

UNA VOLTA RUBATA LA TESTA, RIUSCIREMO A METTERE LA TESTA A POSTO?

È UNO SCONTRO DIRET-TO. O LA VA, O LA SPACCA.

SE ANCHE FINISSIMO LA RICERCA DEL CORPO...

METTIAMO CHE LA TESTA SIA LÌ E CHE IL PIANO ABBIA SUCCESSO...

NON SAPPIAMO NEMMENO SE LA TESTA È DAVVERO DENTRO IL PELUCHE, MA DOBBIAMO PROVARCI.

ANCHE SE ANDASSE BENE, NON SO QUANTI DI NOI MORIREBBERO...

... LE PERSONE UCCISE TORNEREBBERO DAVVERO IN VITA?

ESISTE SOLO UNA PERSONA A CUI POSSIAMO FARE QUESTA DOMANDA...

EHI... DACCI TREGUA, DAI!

ZAN

VOI STATE FACENDO LA RICERCA DEL COR-PO?

COSA VOLETE CHIE-DERMI?

È IL PROF YASHIRO, UNA PER-SONA CHE È RIUSCITA A FINIRE LA RICERCA DEL COR-PO.

BLINK

CHI... CHI È?

CHE OCCHI INQUIETANTI...

AH, È VERO, TU NON LO CONO-SCI.

DA... DAVVERO?

CERTO.

AH!

PROFESSORE!

SOLO CHE, QUANDO METTERETE L'ULTIMO PEZZO NELLA BARA...

DURANTE LA RICERCA DEL CORPO NON SI MUORE.

DOPO CHE AVRETE RIPOSTO L'ULTIMO PEZZO, POTRETE TORNARE ALLA VOSTRA VITA NORMALE.

!

SE STANOTTE PERDI CONTRO TAIZO E LO FAI ENTRARE...

... IL PIANO FALLIRÀ ANCORA PRIMA CHE ARRIVI LA BAMBINA IN ROSSO.

TE L'HO GIÀ DETTO UN SACCO DI VOLTE, KENJI!

ANCORA NON MI FIDO DI TE!

MIA NONNA...

... MI HA DETTO CHE ERA RIUSCITA A VEDERE ALCUNE VECCHIE FOTO. SEMBRAVA FELICE.

È STATO QUANDO RUMIKO E GLI ALTRI SONO VENUTI A TROVARMI...

INOLTRE... CREDO CHE SIA PER QUESTO CHE LE MIE CONDIZIONI SONO CAMBIATE...

È STATO COSÌ CHE ANCHE IO HO SAPUTO DI TAIZO YAMAOKA E MIO NONNO.

GRA-ZIE...

UFF

HA ANCHE I SUOI LATI BUONI, DOPO-TUTTO.

E... RAGAZ-ZI...

ALLORA, IO VADO A CASA... SE STANOTTE FINISSE TUTTO...

... VOR-REI MO-STRARE QUELLE FOTO A MIA NON-NA...

... PER COLPA MIA SIETE MORTI UN SACCO DI VOLTE.

MI DI-SPIA-CE.

CLACK

MI DI-SPIACE TANTO.

VOLEVO DIRLO SOPRAT-TUTTO... A TE, RIE...

RIPENSO A TANTE COSE...

PER COLPA DI QUESTA ASSURDA RICERCA DEL CORPO, COMINCIATA ALL'IMPROVVISO...

... TUTTI SIAMO STATI FATTI A PEZZI IN MODO TERRIBILE E VIOLENTO.

DA QUANDO È INIZIATA LA RICERCA DEL CORPO...

... RIE, A CUI È STATA FATTA UNA COSA DEL GENERE, ANCORA NON RIESCE A GUARDARLO CON DISTACCO.

NON SO IN CHE CONDIZIONI FOSSE STATO KENJI, MA...

RAGAZ-
ZI...

... SIA-
MO PER
LA PRIMA
VOLTA UNITI,
NESSUNO
ESCLU-
SO.

QUESTA
NOTTE
FINIRE-
MO LA
RICERCA
A TUTTI I
COSTI!

EH!
EH! È
OVVIO!

NON È SICURO CHE LA TESTA SIA DENTRO IL PELUCHE, LO SAI?

SE NON È LÌ, È AL CLUB HOUSE, NO?

EHI! QUANTO SEI PRECIPITOSA!

CE NE ANDIAMO DI NUOVO IN GIRO?

ALLORAAA, ADESSO CHE FACCIAMO?

AH! AH!

CHE? NON ME LA SONO TIRATA!

SEI TU CHE TE LA SEI TIRATA DICENDO "È OVVIO"!

MA SE UN SECONDO FA ASUKA HA DETTO CHE FINIREMO STANOTTE!

ANCHE SE STANOTTE FALLISSIMO, "DOMANI" LA RICERCA FINIRÀ!

SAPPIAMO ANCHE LA VERITÀ SU MIKO. ADESSO...

MAH, ORMAI ABBIAMO DECISO COSA FARE.

... NON CI RIMANE CHE ASPETTARE CHE HARUKA VENGA A FARCI LA RICHIESTA.

PROPRIO PER QUESTO STAVO DICENDO CHE È INUTILE STARE FERMI QUI AD ASPETTARE!

HAI RAGIONE...

BENE! È DECISO! ANDIAMO, ANDIAMO!

!

ASUKA... HAI UN MOMENTO?

ANCHE TU! NON CAPISCI CHE RUMIKO SI DIVERTE A...

CHEEE? FINALMENTE LE CONFESSI IL TUO AMORE?

NON È COSÌ! PERCHÉ PENSI SUBITO A QUELLO?!

TA-
KAHI-
RO?

SU,
VAI,
ASU-
KA!

OOOH,
GUAR-
DA CHE
FACCIA
SERIA!

◆ LA BAMBINA IN ROSSO APPARE A
SCUOLA DOPO LE LEZIONI.

ASU-KA... MI DISPIA-CE.

CAPITOLO 50 UNDICESIMO GIORNO – 3

LA PRIMA VOLTA CHE ABBIAMO CERCATO IL CORPO...

MA COSA?

EH?

NON TE LO AVEVO ANCORA DETTO PER BENE...

... NON SONO RIUSCITO A FARE NULLA... E NON HO POTUTO PROTEGGERTI.

NON POTEVI FARCI NULLA...

È NATURALE, IN UNA SITUAZIONE DEL GENERE! E POI...

MI DISPIACE...

IN QUELLA SITUAZIONE... IN REALTÀ MI ERO IMMOBILIZZATO...

È STATO GRAZIE A TE CHE SONO RIUSCITA A TRASPORTARE IL CORPO!

... SIA AL POLITECNICO, CHE AL VECCHIO EDIFICIO, TU MI HAI DIFESO A COSTO DELLA TUA VITA.

GRAZIE!

ANCHE SE OGGI FINISSIMO LA RICERCA DEL CORPO...

... QUESTO NON CAMBIERÀ.

NON DEVI RINGRAZIARMI.

IO TI PROTEGGERÒ, ASUKA...

SEM- PRE...

ORA CAPISCO...

TA- KAHI- RO...

NON MI PIACE SOLO PERCHÉ MI PRO- TEGGE...

IL BAT- TICUO- RE CHE SENTIVO QUANDO LA BAMBINA IN ROSSO CI INSEGUIVA, ERA PER QUALCOSA DI DIVER- SO.

... PUOI DARMELA QUANDO FINIREMO LA RICERCA DEL CORPO.

TE L'HO GIÀ DETTO, MA... LA RISPOSTA...

PERÒ...

TAKAHIRO...

... PERCHÉ?

EH? MA DI CHE PARLI?!

NO, BE'...

MA COSA CI TROVI IN UNA COME ME?

... AB-BIAMO PIANTO E ABBIAMO RISO...

SIAMO AMICI DA QUANDO ERAVAMO BAMBINI. INSIEME ABBIAMO GIOCATO...

... HAI SUBITO AGITO COMPORTANDOTI IN MODO ASSURDO PER LE TUE AMICHE.

DI FRONTE A QUEI BULLI, NONOSTANTE TU FOSSI PIÙ PICCOLA E DEBOLE...

SO CHE CI SONO ALTRE RAGAZZE CARINE E BRAVE, MA...

NON POSSO LASCIARTI SOLA... SEI IMPORTANTE PER ME.

... PER
ME CI
SEI SOLO
TU, NO?

MI HA RESO FELICE.

NON È NIENTE, STO BENE.

CHE?! MA COSA... HO DETTO QUALCOSA DI STRANO?!

NO...

EH... EH?

TAKAHIRO NON È UNA PERSONA FALSA E MI HA SEMPRE ACCETTATA PER QUELLO CHE SONO.

GLI PIACE UNA COME ME, INDIPENDENTEMENTE DAL MIO ASPETTO O DAL MIO CARATTERE.

PERÒ, ADESSO...

TAKAHIRO.

POTREI DARGLI SUBITO LA RISPOSTA.

MI CI È VOLUTO UN PO' PER ACCORGERMENE, MA ANCHE PER ME È LO STESSO.

OH...

GRA-ZIE...

ANDIA-MO A CASA TUA?

VISTO CHE NON AVEVAMO UN POSTO IN PARTI-COLARE DOVE VOLEVAMO ANDARE...

SCUSA-TE SE VI AB-BIAMO DISTUR-BATO...

ASP...

IN SEGUITO, AVREMMO VOLUTO RAG-GIUNGERE RUMIKO E GLI ALTRI, MA...

... SI ERA-NO FATTI PROBLEMI INUTILI ED ERANO ANDATI DA QUALCHE PARTE PER I FATTI LORO...

... CI DIRI-GEMMO A CASA MIA, NOI DUE SOLI.

L'UNICA COSA CHE ANCORA NON ABBIAMO CAPITO...

COME IMMAGINAVAMO, NON C'È...

... È L'IDENTITÀ DI HARUKA.

DO-POTUT-TO...

MMH... SÌ, SÌ.

EHI, MI STAI ASCOLTANDO, TAKAHIRO?

GUARDANDOLO, PENSO DI NUOVO CHE...

AH... CHE NOSTALGIA!

... È IMPOSSIBILE CHE LE COSE TORNINO COM'ERANO PRIMA...

AH... GUARDA. QUESTO ALBUM RISALE AL PERIODO PRIMA DELLE ELEMENTARI.

... IO E LEI SIAMO SEMPRE STATI INSIEME.

IO LA PROTEGGERÒ A QUALUNQUE COSTO.

EHI, TAKAHIRO! NON MI STAI...

NON IMPORTA QUALE MOSTRO DOVREMO AFFRONTARE...

SOLO ASUKA...

AH...

TA-
KAHI-
RO...

EEH?!

AAH, SCUSA!

SOLO?!

SOLO!...

MA CO-SA...

NO, CIOÈ... NON AVEVO INTENZIONE DI... PERÒ...

SCUSAMI, ASUKA!

NON SO A CHE PENSAVO!

AH... SÌ.

ANDIAMO DI SOTTO A CENARE!

TAKAHIRO, NON HAI FAME?

ERA COME SE NON FOSSE SUCCESSO NULLA, MA... SENTIVO CHE FRA NOI C'ERA ARMONIA.

PERÒ... QUELLO ERA IL MIO PRIMO BACIO...

ERA STATO UN PO' IMPROVVISO, MA NON MI ERA DISPIACIUTO.

PASSAMMO COSÌ IL TEMPO E ARRIVARONO LE NOVE.

POI, MENTRE CENAVAMO, COME SE FOSSE UNA COSA NORMALE...

... PENSAVO CHE, QUANDO LA RICERCA DEL CORPO SAREBBE FINITA, IO E TAKAHIRO CI SAREMMO MESSI INSIEME.

COME SEMPRE, HARUKA VENNE A FARCI LA RICHIESTA NELLA SUA FORMA PEGGIORE, MA...

ORA CHE CI PENSO...

... GRAZIE A TAKAHIRO RIUSCII SUBITO A CALMARMI.

SE NON AVESSIMO DOVUTO CONDURRE LA RICERCA DEL CORPO...

... FORSE NON SAREI STATA COSÌ CON TAKAHIRO.

RUMIKO NON FACEVA PARTE DEL NOSTRO GRUPPO, MA ADESSO...

... POSSO DIRE CHE LEI E RIE SONO LE MIE DUE MIGLIORI AMICHE.

D'ORA IN POI, QUESTE PERSONE CON CUI HO SUPERATO VARIE DIFFICOLTÀ...

... DIVENTERANNO AMICI IMPORTANTI.

ANCHE SHOTA...

E, CON UN PO' DI TEMPO, DI SICURO, ANCHE KENJI.

◆ LO STUDENTE UCCISO DALLA
BAMBINA IN ROSSO, IL GIORNO DOPO
COMPARE DAVANTI A TUTTI E CHIEDE
DI CERCARE IL SUO CORPO.

ZUUUN

AAAH, MA GUARDA UN PO'?!

CAPITOLO 51 UNDICESIMO GIORNO - 4

EHI, ASUKA.

MMH...

EH... EH? SIAMO A SCUO-LA?

CHE VI PREN-DE?

DAN

!

AH...

MI RACCOMANDO, USATE LE DOVUTE PRECAUZIONI! ♡

OOOH, QUINDI L'AVETE FATTO! MA CHE BELLO!

NON L'AB-BIA-MO FAT-TO!

NON ABBIA-MO...

AH...

... FATTO NIEN-TE...

?? UH! UH! UH!

NO... NON È COME PENSA-TE...

EH? ASUKA, NON DIR-MI CHE... L'AVETE FATTO?

EH?

SONO CONTENTO CHE ABBIATE TANTA ENERGIA, MA FORSE È MEGLIO CHE NE PARLIATE QUANDO AVREMO FINITO.

KENJI! STAI BENE?!

ZUN

RIESCI AD ALZARTI?

NON TOCCARMI.

BASH

ANF...

SE DIVENTASSI TAIZO...

...FINIRESTI AMMAZZATO.

ANR

CI PENSEREMO QUANDO SUCCEDERÀ.

... NON DO-VREMMO FAR ALTRO CHE CAMBIARE STRATEGIA E ASPETTARE IL GIORNO IN CUI RIUSCIRAI A SCONFIG-GERLO.

SE DI-VENTASSI TAIZO E CI AMMAZ-ZASSI...

TA-KAHI-RO...

DON ゴ ゴ DON DON

AN-DIAMO NELL'A-TRIO!

SHOTA! AIUTAMI A TRA-SPORTARE KENJI!

COME DIRE... È STRANO ASPETTARE LA BAMBINA IN ROSSO...

... COME FACCIAMO SE APPARE IN POSTI LONTANI COME IL VECCHIO EDIFICIO O IL POLITECNICO?

VA BENE ASPETTARE QUI, MA...

ATTIRARLA QUI? E COME?

SE LA VEDIAMO NON POSSIAMO PIÙ VOLTARCI, NO?

SE È NEL POLITECNICO... QUALCUNO FARÀ DA ESCA E LA ATTIRERÀ QUI.

SE VA NEL VECCHIO EDIFICIO, ASPETTEREMO IL PROSSIMO ANNUNCIO DELL'ALTOPARLANTE.

... COMINCIA A INSEGUIRLO RIDENDO. QUINDI...

NON È TANTO DIFFICILE. QUANDO LA BAMBINA IN ROSSO TROVA QUALCUNO...

ASPETTA, MA UNA VOLTA SCAPPATI FIN QUI...

... CHI SARÀ A TOGLIERE LA TESTA DI HARUKA DAL PELUCHE?

... SI PUÒ ASPETTARE CON GLI OCCHI CHIUSI NEL LUOGO IN CUI SI TROVA LA BAMBINA IN ROSSO.

E SE SI SENTE LA RISATA SI PUÒ CORRERE FIN QUI.

CHIUNQUE SIA ANCORA VIVO. CHI VIENE IN-SEGUITO, DEVE COMUNQUE SCAPPARE.

DI CERTO, NON PUÒ UCCIDERE TUTTI IN UN ATTIMO.

IN UN ATTI-MO...

NON ME LO RICORDO...

... HA UCCISO PRIMA TAKAHIRO, POI RIE E PER ULTIMA ME...

IN EFFETTI, DETTA COSÌ, SEMBRA CHE SIAMO STATI UCCISI IN ORDINE, MA IN REALTÀ...

CHE HAI, ASUKA?

QUANDO TAKAHIRO HA TOLTO IL PELU-CHE ALLA BAMBINA IN ROS-SO...

... CI AVRÀ MESSO DUE O TRE SECONDI...

CI HA UCCISI PIÙ O MENO IN UN ATTIMO.

PE....

... MI HA TRAFITTO IL CUORE.

ANCORA LO SENTO...

SÌ... NELL'ATTIMO IN CUI HO PENSATO CHE TAKAHIRO ERA STATO UCCISO...

DA... DAVVERO, RIE?

SOLO CHE HO PENSATO CHE QUESTO PIANO ERA L'UNICA POSSIBILITÀ CHE AVEVAMO...

SCUSA... NON VOLEVAMO NASCONDERLO...

PERCHÉ NON LO AVETE DETTO PRIMA?!

FUSH

FUSH

CE LA FAREMO... IN DIECI SECONDI? NO...

IN TRE... CI HA MESSO UN SECONDO A PERSONA... PERÒ, ORA...

SHOTA... COSA FACCIAMO?!

KRR KRR

!

LA BAMBINA IN ROSSO È APPARSA AL TERZO PIANO DEI LABORATORI.

IL TERZO PIANO DEI LABORATORI... È LONTANO.

SI PREGA DI FARE ATTENZIONE.

STAND

NO... MI SA CHE NON CI RIMANE MOLTO...

SEMBRA CHE ABBIAMO UN PO' DI TEMPO PER PENSARE...

EHI, KENJI...

RATTLE

STAI
BENE?

RATTLE

ANF...

CRE-
DO...

PERÒ...
VORREI
CHE FA-
CESTE...
IN FRET-
TA...

STO...
BENE...

ASU... KA...

FORZA... OGGI FINIRÀ TUTTO! LO FAREMO INSIEME!

TI... TIENI DURO, KENJI!

RU-MI-KO...

... SE ADESSO NON TIENI DURO, NON TI PERDO-NEREMO MAI!

ESATTO, KENJI! CI HAI CAUSATO UN SACCO DI GUAI, QUINDI...

HAI RAGIO-NE... ALLO-RA, VI DIRÒ COSA HO PENSATO.

NON PRE-OCCUPAR-TI, DICCE-LA! POI CI PENSERE-MO TUTTI INSIEME!

NO... QUESTA STRATE-GIA...

SHO-TA! HAI QUALCHE IDEA?!

HO PEN-SATO A UNA COSA, MA... FOR-SE NON VA BENE...

UHM...

SAREBBE IMPOSSIBI-LE SCAP-PARE FINO A QUI.

?!

QUALCUN ALTRO RUBERÀ IL PELU-CHE.

E... DALLA FINE-STRA DEL CORRIDO-IO DELLA SALA DOCENTI GRAN-DE...

QUINDI, SOLO UNO DI NOI RI-MARRÀ QUI IN ATTESA.

POI...

IL PROBLEMA È COME TOGLIERE LA TESTA DI HARUKA DAL PELUCHE!

DOBBIAMO GUADAGNARE TEMPO ALMENO PER TOGLIERE LA TESTA!

SE È PER QUESTO, DOPO AVERGLIELO RUBATO, SI PUÒ CORRERE E NELLO STESSO TEMPO TOGLIERLA!

PROVA A RICORDARTI DEI PEZZI DI HARUKA CHE ABBIAMO TROVATO FINORA!

PER QUANTO POSSA ESSERE PICCOLA, PESERÀ ALMENO CINQUE CHILI, NO?!

PRIMA DI TUTTO, CHI LA RUBERÀ?!

E POI, QUESTA PERSONA A CHI POTREBBE PASSARLA SENZA AVERE PROBLEMI?!

... RIU-
SCIRESTI
A TO-
GLIER-
LA?!

PENSI
DAVVE-
RO CHE,
MENTRE
CORRI PER
SCAPPA-
RE...

ASUKA...

CHE
ROMPI-
PALLE
CHE SEI,
SHOTA!

TA-
KAHI-
RO...

TU... DICI
SUL SE-
RIO?

FI-
NIRO
LA RI-
CER-
CA A
TUTTI
I CO-
STI!

LA
RUBO
E LA
TOLGO
IO...

... COSÌ
NON
AVRAI
NULLA
DA RI-
DIRE,
NO?

KRR
KRR

LA BAM-
BINA IN
ROSSO È
APPARSA
AL SECON-
DO PIANO
DEL POLI-
TECNICO.

SI
PREGA
DI FARE
ATTEN-
ZIONE.

AN-
DRO...
IO...

?!

ASPET-
TA,
TAKAHI-
RO...

AL SE-
CONDO
PIANO
DEL PO-
LITECNI-
CO...

VADO.

◆ NON CI SI PUÒ RIFIUTARE DI
CERCARE IL CORPO.

UGH...

CE LA FAI?

NON È CHE DOPO DIVENTERAI TAIZO, DI FRONTE ALLA BAMBINA IN ROSSO?

WHIRL

WHIRL

ANDRÒ IO... A RUBARLE IL PELUCHE...

SE NON FACCIAMO IN FRETTA, DIVENTERÀ TAIZO QUI E TUTTO SARÀ PERDUTO!

LO STO CHIEDENDO A KENJI.

DOVRESTI CAPIRLO, NO?

NON PUÒ FARE NIENTE IN QUESTE CONDIZIONI...

GRAB

CE LA FACCIO...

FA... FACCIAMOLO, SHOTA!

ANCHE IO... VOGLIO CHE FINISCA PRESTO...

VA BENE, VI SPIEGO IL PIANO.

CAPITOLO 52   UNDICESIMO GIORNO – S

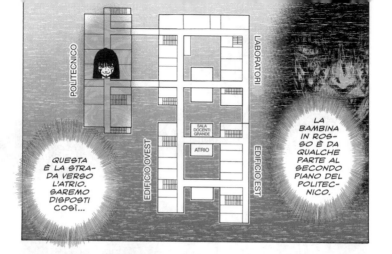

... DUE PERSONE NEL CORRIDOIO DI FRONTE ALLA SALA DOCENTI GRANDE.

SALA DOCENTI

ATRIO

UNA PERSONA AL PRIMO ANGOLO.

UNA PERSONA AL SECONDO ANGOLO DEI LABORATORI, DAVANTI AL CORRIDOIO DI PASSAGGIO FRA I DUE EDIFICI.

KENJI ENTRERÀ NEL POLITECNICO E ASPETTERÀ LA BAMBINA IN ROSSO NEL PASSAGGIO A FORMA DI T.

POI, DOPO CHE KENJI AVRÀ RUBATO IL PELUCHE DALLA BAMBINA IN ROSSO...

SALA DOCENTI GRANDE

KENJI, SE PERDI CONTRO TAIZO, TUTTO IL PIANO ANDRÀ IN FUMO.

... CE LO PASSEREMO E NEL FRATTEMPO TOGLIEREMO LA TESTA.

ANCHE SE SAREMO INSEGUITI E UCCISI, RIUSCIREMO COMUNQUE A PASSARLA ALLA PERSONA SUCCESSIVA.

HO... HO CAPITO.

CONTIAMO SU DI TE.

KENJI.

RAGAZZI...

UH...

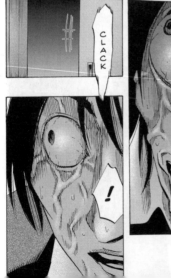

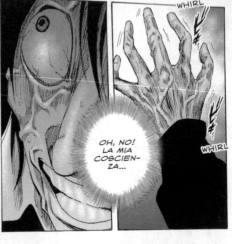

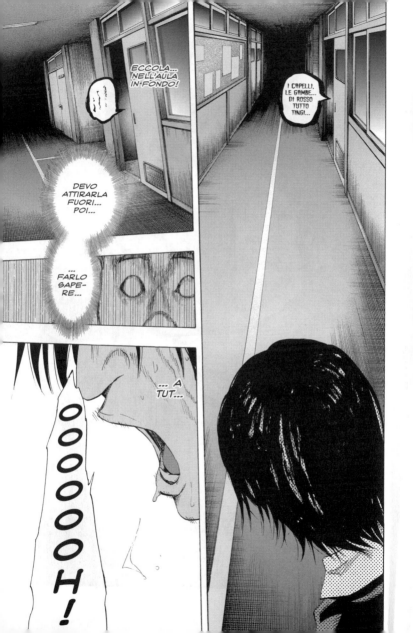

TAP

TAP

TAP

H

H

H

GRAB

KYAH!
AH!
AH!
AH!

MIKO-
CHAN...

UN
VESTITO
ROSSO
VORREI...

OH
...

... A CON-TROL-LARLO.

AGH...

SE IO...

PER COLPA MIA... IL NOSTRO DOMA-NI...

... NON ARRI-VERÀ...

... NON FOSSI STATO IL NIPOTE DELL'AS-SASSINO DI TAIZO...

KEN-CHAN.

?!

... FORSE LE COSE SAREBBERO ANDATE DI-VERSAMEN-TE...

ANCHE A ME PIACEVA TANTO.

TAI-CHAN ERA BUONO E GENTILE.

NONNA...

EH! EH! CHE NO-STALGIA! QUANDO GUARDO QUESTA FOTO...

... MI SENTO FELI-CE.

QUANDO LA NONNA... QUANDO KIYO GUARDA LA TUA FOTO...

... SI SENTE FELICE... DICE CHE TU ERI BUONO...

SE IL DOMANI NON AR-RIVERÀ... ANCORA UNA VOLTA NON POTRÀ VEDER-LA...

E...

SE TI DICO "KIYO"... TU CAPISCI, VERO, TAIZO?

LA FACCIA, LE MANI... DI ROSSO TUTTO TINGI...

TAI-
ZO...

FINORA...

FRUSH

... CI HAI
CAUSA-
TO UN
SACCO
DI PRO-
BLEMI!

SNAP

PRE-
STA-
MI...

... LA
TUA
FOR-
ZAAAA!

GRAB

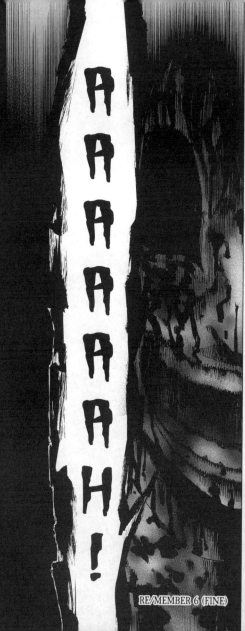

RE/MEMBER 6 (FINE)

◆ LA BAMBINA IN ROSSO COMPARE
ANCHE DURANTE LA RICERCA.

LA BAMBINA IN ROSSO APPARE DI FRONTE A UNO STUDENTE QUANDO RIMANE DA SOLO.

LO STUDENTE UCCISO DALLA BAMBINA IN ROSSO, IL GIORNO DOPO COMPARE DAVANTI A TUTTI E CHIEDE DI CERCARE IL SUO CORPO.

RE/MEMBER
karada sagashi

UN ALTRO PRIMO CAPITOLO

DOPO AVER FATTO A BOTTE... DI SOLITO PARLO...

... CON LA MIA AMICA D'INFANZIA ASUKA...

... CON L'ALTRA MIA AMICA D'INFANZIA RIE E QUELLA ROMPI-PALLE DI RUMIKO.

GUARDA CHE LO DICO AL PROF!

HAI DI NUOVO LITIGATO CON TAKESHI?!

IN CLASSE NON HO NESSUN AMICO IN PARTICO-LARE.

MA SE DORMO FUORI, PRENDERÒ FREDDO?

VISTO CHE MANGIO IL BENTO LA MATTINA, DI SOLITO DURANTE LA PAUSA PRAN-ZO DORMO DA QUALCHE PARTE CON LA PANCIA VUOTA.

QUA-SI TUTTI NON MI PARLANO NEMME-NO.

È QUESTA LA MIA VITA AL LICEO.

EHI, TA-KAHI-RO...

CERCA IL MIO CORPO.

MA CHE FACCIA HA?

HARUKA MIKAMI, UNA MIA COMPA-GNA DI CLAS-SE.

E QUESTA QUANDO È ARRI-VATA?!

EH?

ZUN

E... EHI! COS'HAI DETTO? "CERCA IL MIO CORPO"?

HARUKA MIKAMI...

È UNA SPECIE DI GIOCO?

EHI, HARUKA!

COSA?!

POI, PERÒ, HO CAPITO CHE NON ERA UN SEMPLICE SCHERZO...

... NON SIAMO COSÌ AMICI DA FARCI SCHERZI A VICENDA.

LA CONOSCO DA QUANDO ERO UN POPPANTE, COME ASUKA E RIE, MA...

... DOBBIAMO CERCARE IL CORPO DI HARUKA!

ALLORA, È PER QUESTO CHE NOI...

QUESTA È LA LEGGENDA.

MA....

... SIETE FUORI DI TESTA?!

È SOLO UNA SUPERSTIZIONE... CHE STRONZATA!

TORNIAMO A CASA.

AH!

ANCHE SE, QUANDO HARUKA È VENUTA CON QUELLA FACCIA, PER UN MOMENTO MI È VENUTO IL DUBBIO...

LA LEGGENDA DELLA BAMBINA IN ROSSO?

MA CHI CI CREDE?! NON SONO MICA UN POPPANTE!

MA...

...COS'E-RA?!

LA RI-
CERCA
DEL
COR-
PO?!

NIENTE.

BASH

TAKAHI-
RO, CO-
S'HAI?

A SCUOLA? E QUANDO?

SIA MAMMA CHE PAPÀ LAVORANO FINO A TARDI...

DOBBIAMO CERCARE IL CORPO DI HARUKA CHE È STATO FATTO A PEZZI?

PAFF

GROWL

!

AH! AH! AH!

EH...

MERDA... MI SONO SPAVENTATO A MORTE, CHE VERGOGNA.

NON È POSSIBILE CHE SIA QUELLA LEGGENDA, PERÒ...

COS'È SUCCESSO PRIMA?

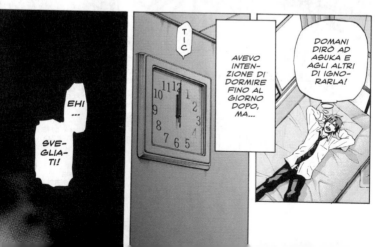

SIAMO A SCUOLA?!

WOOOOH

MMH... CHE C'È?

EH?

ANCHE SE NON HO CAPITO IL MOTIVO, SIAMO TUTTI QUI A QUEST'O-RA... ANDIA-MOCENE.

PERCHÉ STAVO DORMEN-DO QUI?

MA CHE CAZZO SUCCE-DE?

... NON SONO RIUSCITO A USCIRE.

HO PROVATO AD ANDARE VERSO IL CANCELLO, MA...

NON POSSIAMO.

CO-SA?

MA È SERIO?!

CHE STAI DICENDO, KENJI?

"CERCA IL MIO CORPO."

INOLTRE...

... E IL GIORNO DOPO, LO STUDENTE UCCISO COMPARE DAVANTI A TUTTI.

LA LEGGENDA DELLA BAMBINA IN ROSSO CONTINUA...

FA A PEZZI IL CORPO E LO NASCONDE...

SMETTILA DI SCHERZARE! IO HO SONNO E ME NE VADO!

... NON RIUSCIAMO AD AVVICINARCI AL CANCELLO?!

... NON CI SI PUÒ RIFIUTARE DI CERCARE IL CORPO.

LA BAMBINA IN ROSSO COMPARE ANCHE DURANTE LA RICERCA...

SBAM

SBAM

... CHE NON TERMINA FINCHÉ IL CORPO NON VIENE TROVATO.

MA PERCHÉ CAZZO...

UN MURO... COM'È POSSIBILE?!

NIENTE...

IL CELLULARE! EH? VOI AVETE CAMPO?

ANCHE SE DURANTE LA RICERCA PERDI LA VITA, NON MUORI...

!

NEMMENO IO...

BIP BIP BIP

CHE SIGNIFICA?

WOOOOOH

HAI RA-GIONE, È MEGLIO SE EN-TRIAMO.

QUALCU-NO VERRÀ DOMANI MATTINA, NO?

CHE FACCIA-MO? QUI FUORI FA FREDDO... ENTRIA-MO?

EHP!

LA PORTA... SI È APER-TA DA SOLA.

COSA? VUOL DIRE CHE VUO-LE FARCI CERCARE IL COR-PO?

MA COS'È QUEST'A-RIA GE-LIDA?

CHE FRED-DO!

FUORI FA PIÙ CALDO, O SBA-GLIO?!

GO"

オ

オ

GWOOH

DENTRO SI STA ANCHE PEG-GIO...

KRR KRR

ASUKA, NON CHIUDE-RE LA PORTA!

EH? NON SONO STATA IO!

IO VADO AD ASPET-TARE FUORI. VOI CER-CATE QUEL CORPO. FATE COME VI PARE!

ZUUUN

ZAN

L'INGRES- SO PER GLI STU- DENTI... È QUESTO.

LA BAMBI- NA... IN ROS- SO.

LA BAMBINA IN ROSSO È APPARSA ALL'IN- GRESSO PER GLI STUDENTI.

SI PREGA DI FARE ATTEN- ZIONE.

?!

CLACK

STAI CERCAN- DO DI METTERCI PAURA?

EHI, RIE, COSA STAI FA- CEN- DO?

NON SI APRE ...

APRITE!

MA MICA È CHIUSA A CHIA- VE... NON PRENDE- TECI PER IL CULO!

COSA?!

DAMMI ALTRO ROSSO.

EHI...

ASUKAAA!

DASH

WAAAH!

!

DAMMI ALTRO ROSSO.

EHI...

!

CRETINI! LA PORTA È CHIU...

HARUKA... COS'HAI FATTO, MALEDET- TA?!

MA COS'ERA QUEL- LA?!

ANF...

SONO TUTTI MOR- TI... LI HA AMMAZZATI IN UN SE- CONDO!

ANF...

DEVE ESSERCI UN'ALTRA USCITA...

ANF...

DA- VANTI AI MIEI OC- CHI...

COS'È LA RICERCA DEL COR- PO?!

... CI CAPI- SCO NULLA...

NON...

IH....

CHI VEDE LA BAM- BINA IN ROSSO NON PUÒ VOLTARSI INDIETRO.

RISULTATI DEL GIORNO.

PEZZI RITROVATI: 0 STUDENTI MORTI: 6

LA RICER- CA NON TERMINA FINCHÉ IL CORPO NON VIENE TROVATO.

QUESTO ERA IL RACCON- TO DELLA DISPERATA TRAGEDIA ACCADU- TA IN UN LICEO.

RE/MEMBER - UN ALTRO PRIMO CAPITOLO (FINE)

ZUN...

RONF

RONF

PE-
RÒ...

FLIP

ANCHE QUESTO È TIPICO DI TAKAHIRO...

MEN-TRE MI FACEVO LA DOC-CIA!...

SONO ANCHE L'UNICA DEI DUE IN PIGIA-MA...

DA QUANDO È SUCCES-SA QUELLA COSA, HO UN PO' DI BATTICUORE, INVECE LUI...

RONF!

RONF

CHE TEPO-RE.

DOR-MO AN-CHE IO...

TAKA...

FRUSH

L'HO SVEGLIA-TO?!

ASUKA...

!

MMH ---

!

EHI, ASU-KA...

CERCA IL MIO CORPO.

EH?!

MMH... NON UR-LARE...

ANF!

ANF!

KYAAAAH!

VEN-GO LÌ?

FRUSH...

MA... MA HA-RUKA...

AAH... SU, VIENI QUI.

RONF

!

EHI, TA-KAHI-RO!

KYAH!

GRAB

BUO-NA-NOT-TE...

SCENA INEDITA 5 (FINE)

RONF

RONF

ERA IN UNO STATO DI DORMI-VEGLIA?

Storia: WELZARD
Disegni: Katsutoshi Murase
Traduzione: Carlotta Spiga
Editing: Valentina Ghidini
Lettering: Arancia Studio
Stampa: Grafiche Ambert, Verolengo (TO)

Edizioni BD srl
viale Coni Zugna 7
20144 Milano
www.edizionibd.it www.j-pop.it
info@edizionibd.it

ISBN: 9788868837280